Beatrice Masini

Min, la petite fille dragon

Traduction : Anouk Filippini

Illustrations : Desideria Guicciardini

Conception graphique : Audrey Thierry

Hachette Livre, 43 quai de Grenelle, 75015 Paris

Beatrice Masini

Min, la petite fille dragon

hachette
JEUNESSE

On a toujours dit de moi que j'avais une langue
de vipère... Mais quand je tire la langue devant
le miroir, elle a l'air tout à fait normale !
Enfin, sauf pendant une certaine période.
Cette période pendant laquelle de nombreuses choses
me sont arrivées... et m'ont transformée.
Au sens propre.

Chapitre premier

Dans lequel nous rencontrons une petite fille vraiment méchante

Au pays des poissons de jade, très, très loin d'ici, vit une petite fille qui s'appelle Min et qui est probablement la petite fille la plus méchante qu'on ait jamais vue sur cette terre. En tout cas, c'est ce que pensent ses pauvres

camarades de classe, qui doivent subir ses moqueries et son arrogance. Elle ne les tape pas, non, non : sa spécialité, c'est de blesser les autres avec des mots. En disant des choses dures, vexantes. Min est très douée pour pointer les défauts de chacun. Par exemple, elle appelle Chao, qui est un peu rondouillet, « un goret bien gras ». Liu, qui est timide, est traitée de « petite cruche vide ».

Certains enfants se sauvent pour aller pleurer dans un coin, d'autres essaient de répondre sur le même ton. Mais c'est toujours très dangereux avec Min, car elle est la plus rapide lorsqu'il s'agit de trouver de nouvelles insultes.

Les parents de Min, Lao et Chu, écoutent les autres parents se plaindre, mais ils ne veulent pas regarder la vérité en face. Ils se disent que ce sont des histoires d'enfants et qu'il faut les laisser régler ça entre eux...

Dommage, car s'ils s'y étaient intéressés, ça aurait sans doute été une autre histoire. Mais puisque c'est justement celle-là, il est temps de la raconter.

Chapitre deux

Dans lequel Min
fait une chose vraiment
impardonnable

Min n'est pas très populaire
auprès des garçons, mais beaucoup plus auprès des filles, qui
cherchent souvent à l'imiter.
Min préfère choisir les garçons comme cible. Puisqu'il
est impossible des les battre à

la course, autant les humilier avec une arme simple : les mots. Tout ça pour dire que le jour de son neuvième anniversaire, Min organise une grande fête, et toutes les petites filles invitées s'empressent d'accepter.

La fête a lieu chez elle, dans son grand jardin où poussent de beaux arbres fruitiers. Et comme c'est le printemps, ils sont tous en fleurs. Quand le vent souffle entre les branches, les pétales tombent en une pluie rose et blanche. Les fillettes s'extasient devant les merveilleux cadeaux offerts à Min par ses parents :

des poupées jumelles vêtues de soie, un cerf volant en forme de dragon et des bracelets en jade. Le petit poisson donné par sa grand-mère est en jade, lui aussi. Il est accroché au bout d'un cordon de soie bleue, et Min le passe tout de suite par-dessus son habit orange. C'est tellement joli qu'une des petites invitées tend la main pour le toucher, mais, aussitôt, Min la repousse. Elle n'est pas prêteuse.

Pour le goûter, il y a des gâteaux de riz, des biscuits fourrés au miel et des petits poissons porte-bonheur en sucre rouge.

Avec toutes ces douceurs, même Min a l'air normale. Elle est presque gentille : depuis le début de la fête, elle n'a pas dit une seule méchanceté.

Mais soudain arrive Liu, un peu en retard. Oui, Liu, la « petite cruche vide », comme dit Min. Elle tend à Min un paquet emballé dans du papier de riz, avec un joli ruban rouge.

— Merci pour le cadeau, dit Min, je vais l'ouvrir tout de suite.

Elle se jette sur le ruban pour défaire le paquet.

Elle aurait mieux fait d'attendre un peu… Car tout ce qui

va suivre est terrible, et c'est là que tout commence. Pourtant Min ouvre le paquet et lance :

— Quel cadeau malpoli !

Les autres filles s'approchent pour voir : c'est un ravissant petit miroir avec une poignée et un cadre en bois clair sculpté de pétales et de boutons de fleurs.

— Mais… c'est un miroir, dit l'une des invitées.

— Et en plus il est très joli ! ajoute une autre.

— On n'offre jamais un miroir à une fille ! rétorque Min. Si elle est belle, comme moi, elle n'en n'a pas besoin. Et si elle est laide

comme certaines d'entre vous, ce n'est pas la peine de l'humilier. Tu es vraiment une cruche, la cruche la plus méchante que je connaisse.

Et elle éclate d'un rire malveillant.

Pour une fois, les autres fillettes ne se rangent pas de son côté. Elles sont déconcertées. Le cadeau est vraiment joli, et c'est certain que Liu n'avait pas de mauvaises intentions lorsqu'elle l'a choisi et si joliment emballé. C'était un bel après-midi, tout ce passait bien, il y a des fleurs et des gâteaux. Pourquoi tout gâcher avec ces habituelles méchancetés ? Pas une ne rit, pas une n'offre le moindre signe de complicité. Et c'est heureux, car le sortilège (bien mérité) qui s'abat alors sur Min ne frappe pas les autres fillettes. Le cachet de cire qui scellait le paquet de Liu repré-sente un dragon, sym-bole de sa famille. Le dragon, c'est aussi le génie pro-tecteur qui veille sur Liu et sur tous les siens. Quand ils sont en difficulté, il surgit à leurs côtés pour les aider. En voyant Liu aussi méchamment humiliée, le dragon se libère des morceaux de cire et reprend sa forme au milieu des fillettes, qui reculent, effrayées. Le dragon est de taille moyenne, rouge vif, avec la pointe des oreilles vertes et des yeux de jade resplendissants.

— Toi ! rugit-il. Toi qui as osé traiter avec tant de cruauté ma maîtresse, l'humilier et rejeter son cadeau. Toi qui de tes doigts as brisé mon sceau, toi qui couves le mal, méprises la bonté et la gentillesse, et vénères la perfidie… Sois punie. Pendant un an, tu vas voyager à travers le monde sous la forme d'un dragon. Nous nous reverrons ici le jour de ton prochain anniversaire. Et nous verrons si tu as suffisamment changé pour pouvoir retrouver ta forme de petite fille.

L'instant suivant, le dragon a disparu, remplacé par un autre

plus petit, qui a les petits yeux noirs et brillants de Min et qui est très très nerveux. Il bouillonne, crache des flammes et de la fumée, gratte la terre avec ses griffes et se contorsionne comme s'il voulait ôter son enveloppe de peau.

— Vous, espèces de patates, aidez-moi à enlever ce costume !

Mais les fillettes ont déjà pris la fuite. Il ne reste que Liu, qui regarde le dragon droit dans les yeux.

— Je suis désolée, dit-elle. Je ne voulais pas…

— Bien sûr que c'est ce que tu voulais, la cruche ! Rappelle immédiatement ton dragon et dis-lui de me libérer.

— Même si je suis désolée, répond Liu, les joues rouges, avec un peu plus d'assurance cette fois, je ne peux pas appeler le dragon quand ça me chante.

C'est lui qui décide quand venir et quoi faire. Mais je te conseille de réfléchir à ce qu'il t'a dit, si tu veux redevenir une petite fille un jour.

Sur ces mots, elle lui tourne le dos et s'en va. Min, la petite fille dragon, reste seule au milieu des restes de la fête, sous une pluie de pétales soufflés par le vent. Elle marche sur quelque chose et pousse un gémissement de douleur : ce sont les morceaux du miroir brisé sous le coup de la colère. Elle aperçoit son reflet dans un éclat : un museau rouge, des yeux noirs ardents, des écailles... Quel spectacle !

— Aidez-moi, aidez-moi ! crie-t-elle en appelant ses serviteurs. Je suis blessée !

Mais lorsque les serviteurs arrivent, tout ce qu'ils voient c'est un dragon. Ils vont chercher de l'aide et reviennent armés de longs bâtons pointus avec lesquels ils chassent le dragon à coups de pics.

— C'est moi ! hurle Min. Votre patronne !

Personne n'a envie d'écouter un dragon fumant et cra-

chant du feu ! C'est ainsi que Min est obligée de s'envoler, la patte couverte de sang, souffrant autant de sa blessure que dans son cœur.

Chapitre trois

Dans lequel nous
suivons Min au cours
de ses premières aventures

Min vole, en essayant sans beaucoup de succès de domi-ner la rage qui lui fait donner de grands coups de pattes dans l'air et perdre l'équilibre. Elle est très drôle à regarder, pas du tout fière et digne comme le sont les dra-gons d'habitude. Heureusement qu'elle ne peut pas se voir, ça la rendrait encore plus folle de rage ! Elle comprend enfin comment tenir en équilibre dans l'air, et elle essaie d'exploiter l'énergie de ses ailes pour planer. Mais partout où elle essaie de se poser, il y a quelqu'un qui crie :

— Un dragon ! Un dragon volant !

Aussitôt, les gens se rassemblent pour lui jeter des pierres, des flèches, en essayant de la blesser, de l'abattre ou tout simplement de la chasser. Plusieurs fois, elle essaie d'atterrir :

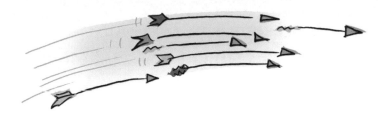

elle a faim et soif, et sa patte lui fait mal. À chaque fois, elle doit reprendre de l'altitude pour éviter les projectiles.

« J'étais une si jolie petite fille, pense-t-elle, amère. La plus jolie de toutes. Tellement belle que je n'avais pas besoin d'un miroir pour me le dire. Et maintenant, je suis un monstre que tout le monde cherche à éloigner. » Elle pleure des larmes de rage plus que de douleur.

À présent Min est épuisée. Les villes et les villages sont tellement loin en dessous qu'elle ne voit plus personne. Elle se dit qu'elle va peut-être pouvoir atterrir sans risque. De toute façon, elle n'a plus le choix. Elle est trop fatiguée pour continuer à voler. C'est alors qu'elle aperçoit une vieille dame. C'est une petite femme qui vit seule dans une forêt de bambous, et qui cueille des plantes médicinales. Ça l'amuse beaucoup de suivre le parcours improbable de ce petit dragon qui roule sur lui même plus qu'il ne vole. Il semble avoir quelque

chose autour du cou. Quelque chose qui brille quand un rayon de soleil se pose dessus.

« À mon avis, il va atterrir par ici », se dit la vieille en riant.

C'est en effet ce qui arrive. Le petit dragon finit par toucher terre, d'une manière tout à fait catastrophique, en faisant un roulé-boulé dans les buissons. Il se retrouve étalé sur le dos, les pattes en l'air, comme un gros insecte qui n'arriverait plus à se remettre à l'endroit. La vieille s'approche et pousse le dragon pour l'aider à se remettre sur pattes. Ce dernier, fumant et

écumant de rage, est tellement
épuisé qu'il retombe immédiatement par terre.

— Regardez-moi ça, dit la
vieille. Un petit dragon rouge
avec un poisson de jade autour
du cou. C'est un porte-bonheur,
symbole de paix et de prospérité. Quelque chose me dit que
c'est un cadeau... Et quelque

chose me dit aussi que ce petit dragon ne mérite pas ce cadeau, ni aucun autre d'ailleurs !

Tout ce que Min trouve à répondre, avec le peu d'énergie qui lui reste, c'est :

— Laisse-moi tranquille, vieille bonne femme, et ne t'avise pas de me toucher avec tes mains sales.

Sauf que tout ce qui sort de sa bouche, ce sont des sons incompréhensibles et des syllabes inarticulées ! Ce n'est pas facile de manœuvrer une langue de dragon, surtout quand c'est la première fois. Du coup, Min ne peut pas utiliser son arme préférée, ni expliquer qu'elle est une petite fille et pas un dragon, et que cette punition totalement injuste doit finir. Et plus elle prend conscience de son impuissance, plus elle s'énerve et plus le rouge de ses écailles est vif. Ses yeux brillent et toute sa colère reste coincée à l'intérieur. En plus, elle a sommeil, à tel point qu'elle a presque oublié qu'elle a mal à la patte. La vieille pourtant s'en aperçoit.

— Pauvre créature, dit-elle, à présent je comprends pourquoi tu vas de travers. Ne t'inquiète pas, je vais m'occuper de ta patte.

Avec des gestes sûrs, la vieille femme prend la patte blessée du dragon et la retourne. Elle retire l'éclat de miroir et désinfecte la blessure avec une infusion d'herbes, puis l'enveloppe dans une longue bande de gaze qu'elle ferme avec un joli nœud. Min se sent immédiatement soulagée.

Un peu à cause du pouvoir des plantes, mais surtout parce que c'est agréable que quelqu'un s'occupe de vous. On ne peut pas vraiment dire qu'elle est apaisée, car pour elle la colère est une compagne si fidèle que ce n'est pas si facile de la mettre à la porte, mais au moins elle est plus calme.

— Viens, petit dragon, dit la vieille. Il est tard et nous sommes fatigués. Viens chez moi te reposer.

La vieille dame est généreuse et gentille, et Min ne sait pas quoi faire d'autre que de la suivre, car il commence à faire sombre, et qu'elle a peur du noir. Et puis elle est seule, loin de tout ce qu'elle connaît, et elle ne s'est pas encore remise de sa transformation.

« De toute façon, dès demain, je m'en vais, se dit-elle. Je rentre chez moi, je retrouve cette cruche de Liu et je lui ordonne de me retransformer en petite fille. »

Elle n'a pas encore compris que ce n'est pas si simple, que toutes les choses dites ou faites ne peuvent pas forcément se dédire ou se défaire, et qu'on doit assumer les conséquences de tout ce qu'on a fait ou dit.

Finalement, le lendemain matin, elle ne va nulle part. Elle est bien trop fatiguée, malgré le bon déjeuner de lait de soja et de biscuits que lui a donné la vieille. Elle regarde en l'air et ne voit rien d'autre que le ciel. Aucun signe, aucune indication. Découragée, elle pose sa tête entre ses pattes. Mais la vieille la secoue.

— Ici on ne paresse pas. On travaille. Tu as mangé. Tu vas devoir m'aider. On va aller dans la forêt cueillir des herbes médicinales.

Min obéit. C'est une petite fille courageuse et intelligente. Elle écoute les leçons de la vieille dame et, très vite, elle apprend à reconnaître les bonnes et les mauvaises herbes, celles qui soulagent et donnent des forces, et celles qui affaiblissent et empoisonnent. En écoutant bien, elle découvre tout le mal qu'on peut faire à quelqu'un, pour peu qu'on ait les moyens de le faire. En observant bien, elle apprend à cueillir, couper, hacher, mélanger, distiller. Sauf qu'avec ses pattes griffues elle ne peut rien faire.

Au bout de quelques semaines, elle sait se rendre utile. D'un souffle de feu, elle carbonise les herbes dangereuses pour que personne ne s'empoisonne avec. D'un coup de griffe, elle fauche les bonnes herbes et fait des petits fagots que la vieille peut venir récupérer ensuite en les déposant dans un grand panier.

Quand les gens qui viennent à la cabane chercher des herbes voient le dragon, ils prennent peur. Mais la vieille leur dit :

— Ne vous inquiétez pas, il est gentil comme un gros toutou.

Parfois les enfants osent même avancer la main pour une caresse. Et Min, cette même Min qui avant aurait dit : « Bas les pattes, sale gosse ! », se laisse effleurer et caresser. Pas que ça lui plaise. Elle fait ça pour la vieille, qui est si gentille avec elle, lui donne à manger, lui parle de tout et lui apprend les choses du monde.

La gentillesse est une habitude. Si on s'habitue à être gentil, à dire « merci », « pardon », « je vous en prie », à aider les autres, à répondre à un sourire par un sourire, petit à petit tous

ces gestes vous viennent naturellement.

La gentillesse est conta-
gieuse. Auprès de quelqu'un
de gentil, on devient gentil, on
ne peut pas faire autrement.

Toutes ces choses, Min
les apprend naturellement
au contact de cette vieille
femme qui soigne les gens,
ne demande rien en échange
et offre toujours en prime un
sourire et une bonne parole.
On pourrait d'ailleurs à ce
stade se demander qui a appris
à Min à être coléreuse, hau-
taine, énervée et énervante.

Car c'est à la fois un peu une question de caractère, on est comme on est, mais aussi un peu une question d'exemple, de ce que l'on voit et ce que l'on sent. Mais l'histoire ne revient pas en arrière, elle va de l'avant. Et nous en sommes au moment où Min, tout doucement, a déjà commencé à changer. Regardons-la tandis qu'elle se laisse caresser par un petit garçon sans le mordre. Tandis qu'elle travaille sans relâche auprès de la vieille femme. Tandis qu'elle s'enroule comme un gros chat

45

devant le feu le soir, fatiguée
et tranquille. On ne sait pas
trop ce qui se passe dans cette
petite tête de dragon, mais on
sait que cette Min-là nous plaît
beaucoup plus que celle que
nous connaissions quelques
lignes plus haut.

La vieille femme, qui avait tout de suite remarqué le collier de jade au cou de Min, s'adresse à lui comme s'il était vivant.

— Et oui, cher petit poisson, ton maître est un brave dragon. Obéissant et gentil comme on n'en fait plus.

Et Min se dit qu'il est possible que sa grand-mère, quelque part, l'entende, et soit un peu fière d'elle. La vieille poursuit :

— Sois comme un poisson, petit dragon. Rapide, silencieux, travailleur, et tu apporteras la prospérité tout autour de toi.

Min, à vrai dire, se sent beaucoup plus dragon que poisson. Elle est encore souvent très en colère à cause de son apparence, de cette situation dans laquelle elle s'est mise toute seule. Mais quand ça lui arrive maintenant, elle part courir dans la forêt et passe sa rage en griffant les bambous ou en mettant le feu à des buissons de mauvaises herbes. Toute seule. Sans faire de mal aux autres. La vieille observe en silence et elle approuve.

Avec le temps, les blessures se referment. Pour les blessures du cœur, c'est un peu plus long. Sur la patte de Min, il ne reste qu'une petite cicatrice. Mais son cœur et son orgueil la brûlent encore. Et brûle aussi le désir de rentrer chez elle, d'être comme avant. Non. Pas tout à fait. En tout cas de retrouver ses yeux noirs et ses joues de petite fille. Et ce désir est comme un feu ardent à l'intérieur de Min, il lui donne envie d'avancer, avancer, avancer. La vieille, qui comprend bien des choses qu'on ne dit pas, le sait. Et c'est ainsi qu'un jour elle regarde le petit dragon et lui dit :

— Va, petit dragon. Tu n'as plus rien à faire ici. Fais un trésor de

49

tout ce que tu as appris et pars trouver ce que tu cherches.

Min gratte trois fois le sol avec ses griffes, incline la tête et prend son envol. La vieille la regarde s'éloigner.

Chapitre quatre

Dans lequel le dragon Min se révèle un bon apprenti agriculteur

Malgré les leçons de la vieille, qui lui rappellait un peu sa grand-mère, Min est encore pleine de rage et de colère. Le vol et le sentiment de liberté alimentent cette rage et cette fureur, tout comme le vent alimente le feu. C'est

ainsi que le jour où elle se fait sur-
prendre par un paysan en train
de dévorer des épis de blé pour
calmer sa faim, Min se débat et
donne des grands coups de queue
et de pattes. Le paysan parvient à
l'emprisonner dans un grand filet,
celui dont il se sert pour attraper
les oiseaux. Min, prisonnière, se
débat de plus belle.

— Tiens, se dit le paysan, un
petit dragon rouge ! On raconte
qu'ils portent bonheur. On va
vite le savoir… Il est petit, mais
robuste. Je pense que je sais comment mettre à profit toute cette
belle énergie.

Le paysan a depuis peu perdu son bœuf, un animal très utile pour le travail aux champs. Comme il est très malin, il fabrique avec deux morceaux de cuir une sangle à la taille du petit dragon, la passe autour de sa poitrine et la fixe à la charrue. Il a juste besoin de retourner un petit lopin de terre pour une récolte tardive.

— Sois brave, petit dragon, et je te traiterai avec bonté comme je l'ai fait avec mon bœuf. En quinze ans, je n'ai jamais levé la main sur lui, je lui ai donné du bon foin, de l'herbe fraîche et de l'eau à volonté. Je lui racontais mes soucis, lui me regardais avec ses grands yeux et j'avais l'impression que je pouvais y lire la solution à tous mes problèmes.

Bon. Un dragon, ce n'est pas un bœuf, mais Min a appris que dans certaines circonstances, il est plus malin de s'adapter que de se rebeller. La sangle de cuir est serrée et solide. Il ne lui reste plus qu'à faire le dragon, ou plutôt le bœuf. Elle aimerait tant redevenir la petite fille qu'elle était. Elle ne comprend pas comment elle a pu en arriver là : maintenant, on la prend

pour un bœuf ! Le travail aux
champs est dur, mais le paysan
est bon. Quand ils sont fatigués, ils se reposent à l'ombre
d'un arbre et le paysan partage
son repas. Il a découvert avec
émerveillement que le petit
dragon rouge n'est pas carni-

vore. Au contraire, Min tourne le museau à chaque fois que le paysan lui propose une souris morte ou une araignée. C'est qu'elle s'est habituée à manger végétarien, comme la vieille, qui respecte tellement la vie qu'elle n'accepte pour son repas que des herbes déjà piétinées. Ainsi, le petit dragon et le paysan se contentent volontiers d'un peu de tofu (c'est un fromage végé-tal), de pain et de légumes. Ensuite ils font une petite sieste avant de se remettre au travail. Toute l'énergie de Min, toute sa colère passent dans le travail, et

le paysan se surprend à préfé-
rer ce nouvel animal à son vieux
bœuf. Sans compter que le
petit dragon rouge fait aussi un
excellent chien de garde. Atta-
ché devant la maison, il fait fuir
tous ceux qui auraient pu avoir
de mauvaises intentions. Avec

un dragon on ne sait jamais. Et s'il crachait du feu ? Et si ses griffes étaient empoisonnées ?

— Tu as vu, ton dragon, le joli pendentif qu'il a autour du cou ? demande un jour la femme du paysan à son mari. Il a l'air très précieux et il me plairait beaucoup.

— Laisse-le tranquille, répond le paysan. Ce dragon m'aide beaucoup, je ne sais pas ce que je ferais sans lui. Le collier de jade est à lui, n'y touche pas. On ne sait rien des dragons. C'est peut-être une personne transformée, comme dans les histoires, et c'est peut-être tout ce qui lui reste de sa vie d'avant.

Min a tout entendu, et depuis elle ne dort que d'un œil, de peur que la femme du paysan ne vienne lui voler son collier. Mais c'est une brave femme, comme son mari, et l'idée que le petit dragon rouge puisse en réalité être une personne l'inquiète un peu.

Min est contente que le paysan ait dit qu'elle l'aidait beaucoup. Elle se sent utile, ce qui ne lui était jamais arrivé dans sa vie de petite fille. Pas que les enfants soient ou doivent être utiles. Ils sont là pour donner de la joie et du bonheur. Mais enfin, ça lui fait plaisir. Elle se sent grande. Plus grande qu'elle ne l'est en réalité.

Deux saisons passent et le petit dragon est de plus en plus utile au paysan et à sa femme, qui commencent à lui faire confiance. Ils arrêtent de l'attacher à une chaîne devant la porte. Min monte la garde sans qu'on le lui demande et on dirait bien que dans ses yeux noirs brille un peu d'affection pour eux. C'est vrai d'ailleurs. Min s'est attachée au paysan, dont la gentillesse naturelle lui rappelle un peu la vieille dans la forêt de bambous. C'est vrai qu'en échange, il attend qu'elle travaille pour lui. Mais nous attendons tous quelque chose des autres, n'est-ce pas ? De l'attention, de l'affection, de l'amitié, de la reconnaissance, des câlins. Et finalement leur accord n'est pas si mauvais : Min travaille et, en échange, le paysan lui apporte de la nourriture, sa protection et sa confiance. Min aime bien le paysan et le paysan aime bien Min. Mais aimer bien ce n'est pas tout à fait aimer. Pas complètement, pas entièrement. Min sent que cet *entièrement,* ce *complètement*

sont ailleurs, quelque part où on l'aime pour ce qu'elle est vraiment, où on l'aimait même pour ce qu'elle était avant, capricieuse et colérique. Chez elle. Son papa et sa maman. Et sa grand-mère. Quand elle pense à sa grand-mère, elle caresse le poisson de jade, doucement, en faisant bien attention à ne pas le griffer. Et parfois elle pleure. De nostalgie, de peur. Elle pleure sur tout ce qui est arrivé et tout ce qui n'est pas arrivé. Et oui ! Elle a appris à pleurer. Elle qui avant faisait pleurer les autres… Min ne profite pas vraiment de la liberté que lui accorde le paysan. Il sait bien qu'en laissant le petit dragon détaché il prend un risque. Mais il sait autre chose : que les dons sont accordés et parfois repris, et qu'il faut savoir les laisser partir. On lui a fait le don de ce drôle de petit dragon rouge qui l'a beaucoup aidé et, maintenant, il est temps que le dragon reprenne son envol. C'est pourquoi un matin, en découvrant que le petit dragon est parti, il n'est pas surpris. Il regarde en l'air et le voit, petit point rouge qui s'éloigne dans le ciel, minuscule et léger, léger et minuscule.

Il lève la main et le salue.

Entre temps, l'histoire de ce petit dragon rouge qui aide les humains a circulé, grâce aux patients de la vieille femme d'abord, puis grâce aux amis et aux connaissances du paysan. Et les nouvelles vont vite.

Ainsi, à chaque fois que Min arrive quelque part, elle est accueillie avec tous les honneurs. On commence à l'appeler le « Petit Dragon Rouge Aux Bonnes Actions », on l'invoque, on recherche sa compagnie, ne serait-ce que pour sa présence bénéfique. Car, quand ils ne font pas de mal, les dragons, comme les poissons de jade, portent bonheur. Et Min ne fait rien de mal. Partout où elle va, il y a une écuelle de riz et de tofu qui l'attend et les enfants tendent les mains en riant. Au lieu de les blesser, Min les laisse la cares-

ser et tournoyer autour d'elle
comme autant de petits papil-
lons. Elle tient sa langue. Elle ne
s'en sert plus pour faire du mal,
mais pour chatouiller les joues
des enfants et les faire rire aux
éclats. Min est-elle heureuse ?
Dans un sens oui. La gentillesse

l'a adoucie. Mais tout au fond d'elle, il y a un désir immense de rentrer chez elle. Il doit y avoir un moyen de changer un peu les choses, de faire en sorte que ça aille mieux, de demander pardon ? Le poids du petit poisson de jade qui pend à son cou lui dit que oui, qu'on peut faire tout ça, qu'on peut apporter la paix et la prospérité, plutôt que des mots durs et féroces. Qu'il suffit de choisir. Et Min, petit à petit, a appris à choisir. Pas encore assez pourtant.

Chapitre cinq

Dans lequel Min surmonte la dernière épreuve

Min doit encore faire une chose : s'expliquer avec le dragon protecteur de la famille de Liu, qui est à l'origine de sa transformation. En réfléchissant, en méditant, et en se souvenant des mots du dragon le jour de la fête, Min comprend qu'elle doit retourner le voir et lui demander pardon, pour pouvoir retrouver son apparence. Aussi, de village en village, de bonne action en bonne action, elle prend la direction de la maison de Liu et s'arrange pour arriver la veille de son anniversaire. Épuisée et affamée, elle se roule en boule devant la porte, et c'est là que Liu la trouve encore endormie, le lendemain matin lorsqu'elle sort de chez elle pour se rendre à l'école. Pour être exact, Liu se prend les pieds dans le petit dragon. Le dragon Min se réveille

en sursaut et aussitôt se dresse sur ses pattes, prêt à attaquer. Mais dès qu'elle voit Liu, Min se cache le museau dans les pattes.

— Ah, c'est toi ? dit Liu. Je t'attendais. Quand on n'a pas vu un enfant depuis longtemps, on a l'habitude de dire : « Comme tu as changé ! Comme tu as grandi ! » Mais moi je ne peux pas dire ça. Tu es exactement comme l'année dernière le jour de ton anniversaire. Un peu plus chiffonnée, peut-être.

Liu n'est pas très gentille. Mais il faut la comprendre. Dragon ou pas, pour elle Min est encore la petite fille qui la prenait pour cible. C'est à cet instant qu'apparaît le dragon protecteur de la maison de Liu. Il ressemble à Min, en trois fois plus grand. Pour commencer, il crache sur Liu comme les chats quand ils sont fâchés et lui dit :

— Tu me fais honte, petite fille. Depuis le temps, tu devrais avoir compris que les mots acérés font mal, et qu'il ne faut pas les utiliser. Je te conseille de changer de ton : j'ai par le passé puni une petite fille insolente et cruelle, et je pourrais bien recommencer avec toi.

Liu se mord les lèvres et incline la tête. C'est vrai. Elle a parlé sans réfléchir, en se laissant emporter par la colère. Quant à Min, elle a encore la tête penchée. Elle est blessée, et elle a l'impression que ce qui est en train d'arriver n'est pas du tout ce qu'elle a tant désiré. Le dragon n'a-t-il pas dit qu'au bout d'un an les choses changeraient ? Elle a cru qu'il lui suffirait de voir pointer le jour de son dixième anniversaire pour que les écailles rouges disparaissent… Le dragon remarque que Min a toujours la tête penchée, dans une attitude humble, comme si elle demandait pardon. Il sait ce qui lui est arrivé pendant cette longue année. Ses messagers ailés, des dragons comme lui, lui ont tout raconté. Il sait que Min a changé. Et il a bien l'intention de la retransformer en petite fille. Il n'attend qu'une chose, une seule. Et comme cette chose n'arrive pas, il suggère :

— Je crois que pour te faire pardonner, dit-il, tu dois faire un cadeau à Liu. C'est vrai, c'est TON anniversaire, et c'est justement pour cette raison qu'un cadeau de ta part serait vraiment précieux.

En entendant ça, la Min d'avant aurait tapé du pied, hurlé et protesté. Elle se serait même carrément roulée par terre en criant que puisque c'est son anniversaire, tous les cadeaux doivent être pour elle. La nouvelle Min se contente de regarder le dragon de ses petits yeux noirs. D'une

griffe, elle attrape le cordon bleu qui retient le petit collier de jade autour de son cou. C'est la seule chose qu'elle possède. C'est donc la seule chose qu'elle peut offrir. Mais le dragon l'arrête et lui dit :

— Arrête. Tu es sur le point de donner la seule chose que tu possèdes. La chose qui t'a tenu compagnie en cette année difficile, car elle te rappelait quelqu'un qui t'aime. Tu n'as pas besoin d'offrir ton collier de jade à Liu. Le geste me suffit. Et à présent, va. Je suis sûr qu'ils t'attendent à la maison.

Min est sur le point de s'envoler mais, au dernier moment, elle hésite. Elle plonge ses yeux dans ceux du dragon et lui pose une question muette que le dragon comprend.

— Ah oui, les écailles ? dit-il. C'est ta dernière épreuve. Tu dois rentrer chez toi comme tu es, et non pas comme tu étais. On verra bien ce qui se passe.

Chapitre six

Dans lequel Min rentre
chez elle, mais ne revient
pas en arrière

Min obéit et s'envole sans se
retourner. C'est le moment le
plus difficile. Le dragon est cruel
de lui rajouter cette peine, mais
c'est lui qui décide et Min n'y
peut rien. Elle va devoir se pré-
senter devant sa famille sous

son apparence de petit dragon rouge.

Chez elle, son père, sa mère et sa grand-mère célèbrent en pleurant l'anniversaire d'une petite fille qui n'est pas là.

— Quelle enfant extraordinaire, cette Min ! dit papa.

— Un peu insolente, mais gentille, ajoute la grand-mère.

— Insolente ? Je dirais plutôt sûre d'elle. En tout cas, elle me manque ! ajoute maman.

Car les parents sont toujours les derniers à voir les défauts de leurs enfants, et, quand ils les voient, ils se racontent toujours quelque chose d'un peu différent, de plus acceptable. Et comme ce sont les parents de Min, et qu'il faut bien quand même qu'elle tienne de quelqu'un, lorsqu'ils voient un dragon atterrir à côté d'eux, ils prennent d'abord peur.

— Prenez un bâton ! Chassez-le ! Appelez les gardes avec des fourches !

Seule la grand-mère est restée calme et elle murmure :

— Mais pourquoi vous vous affolez ? Vous ne voyez donc pas que ce n'est qu'un petit dragon effrayé ? Et puis, oh, le poisson ! Ce poisson ! Vous ne voyez pas le poisson ?

Elle a reconnu le poisson de jade, celui qu'elle a offert à Min pour son anniversaire l'année précédente. Le cordon est un peu distendu et effiloché, mais le poisson de jade, lui, est reconnaissable entre tous.

— Regardez, regardez ! dit-elle en le montrant d'une main tremblante.

Quand ils comprennent enfin, les parents de Min restent sans voix. Je voudrais vous y voir, vous, si votre fille unique rentrait à la maison après une longue absence, sous la forme d'un dragon. Mais la grand-mère, qui sait

82

toujours trouver les bons gestes et les bons mots, s'approche du petit dragon rouge et lui caresse la tête en murmurant :

— Pauvre petite, tu as dû traverser beaucoup d'épreuves. Mais à présent tu es avec nous, à la maison. Et peu importe ton aspect. Pour nous, tu seras toujours la petite Min. Je voudrais dire notre douce, notre gentille petite Min, mais je ne peux pas, alors je dis notre Min, tout simplement. Que nous avons tant attendue, et que nous accueillons telle qu'elle est.

À ces mots, Min éclate en

sanglots. De petites larmes brillantes glissent de ses yeux noirs sur ses écailles et, bien vite, Min se retrouve couverte d'un manteau de gouttelettes scintillantes. Un manteau de douleur, qui la touche au plus profond d'elle-même. Min donne un petit coup de museau dans les mains de sa grand-mère et elle se sent fondre à l'intérieur. Mais pas seulement. Comme dissout par les larmes, le manteau d'écailles commence à disparaître, laissant place à la petite fille d'avant. Enfin... pas tout à fait, car elle a grandi, et surtout elle a changé. Min se jette

dans les bras de sa grand-mère,
et elles pleurent et rient longtemps. Et puis, c'est le tour des
parents, mais pas tout de suite,

car eux ont voulu chasser le dragon, alors que la grand-mère a su voir sous les écailles. Un peu grâce au poisson de jade, qui a veillé sur Min pendant toute cette année de peines et d'apprentissage. Il a veillé sur Min comme s'il était la grand-mère elle-même, ce qui est d'ailleurs sans doute un peu vrai. Ce poisson de jade qu'à la fin Min était prête à offrir, prouvant qu'elle avait vraiment changé.

Conclusion

C'est ainsi que Min a retrouvé sa vie de petite fille. Elle est devenue plus gentille après cette épreuve. On aimerait dire qu'à présent elle est bonne avec tout le monde, mais ce serait faux. Car tous nous tendons à refaire les mêmes erreurs, même quand nous savons que ce sont des erreurs. Mais on peut dire que maintenant Min est une petite fille normale, pas particulièrement dure ou cruelle, et qu'elle sait de mieux en mieux contrôler ce qu'elle dit, offrir des sourires, faire de petits gestes pour les autres. On aimerait dire qu'avec Liu elles sont devenues amies, mais ce n'est pas vrai. Disons qu'elles se tolèrent, que quelquefois elles jouent ensemble, sans s'adorer, sans se haïr. Comme c'est souvent le cas d'ailleurs pour nous tous. On ne peut pas aimer tout le monde. Il y a des gens qui ne nous plaisent pas, et on ne peut pas plaire à tout le monde. C'est normal. Mais avec un peu de gentillesse de

la part de chacun, tout devient plus simple. Et on peut vivre ensemble, grandir, se respecter.

FIN

Découvre les trois premières histoires :

**Pour tout connaître sur tes héros préférés,
inscris-toi à la newsletter du site:
www.bibliotheque-rose.com**

Table

⊞hachette s'engage pour l'environnement en réduisant l'empreinte carbone de ses livres. Celle de cet exemplaire est de :

400 g éq. CO_2
Rendez-vous sur
www.hachette-durable.fr

PAPIER À BASE DE
FIBRES CERTIFIÉES

Photogravure **Nord Compo** - Villeneuve d'Ascq

Imprimé en Roumanie par G. Canale & C. S.A.
Dépôt légal : janvier 2013
Achevé d'imprimer : janvier 2013
20.2423.0/01 – ISBN 978-2-01-202423-6
Loi n° 49956 du 16 juillet 1949
sur les publications destinées à la jeunesse